Jetzt ist alles wieder gut!

Bilderbuchgeschichten
übers Streiten, Nörgeln, Trotzigsein

Arena

Dieser Sammelband enthält:

Friederun Reichenstetter/ Clara Suetens
Pia Dickkopf mag heut nicht

Carola Wimmer/ Betina Gotzen-Beek
Nie wieder Stunk im Kinderzimmer

Friederun Reichenstetter/ Iris Hardt
Anna spielt Mama

Susa Apenrade / Iris Hardt
Ich will aber Spaghetti!

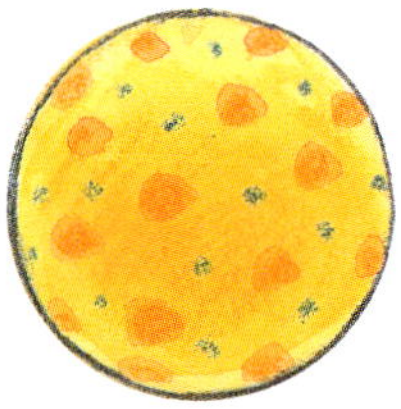

2. Auflage 2009

Texte: Friederun Reichenstetter, Carola Wimmer, Susa Apenrade
Illustrationen: Clara Suetens, Betina Gotzen-Beek, Iris Hardt
Coverillustration: Betina Gotzen-Beek
Gesamtherstellung: Westermann Druck Zwickau GmbH
ISBN 978-3-401-09676-6

www.arena-verlag.de

Pia Dickkopf mag heut nicht

Erzählt von Friederun Reichenstetter
Mit Illustrationen von Clara Suetens

„Nein, ich mag nicht!“, sagt Pia öfter als alles andere. „Nein, ich mag nicht schlafen! Ich mag aufbleiben! Ich mag keine Zähne putzen, und ich mag mich auch nicht waschen.“

Wenn Pia aufstehen soll, jammert sie: „Nein, ich mag lieber im Bett bleiben“, und zieht sich so fest die Decke über den Kopf, dass nicht einmal mehr die Nasenspitze herausschaut.

„Aber Schatz“, sagt Mama dann manchmal, „draußen scheint die Sonne, und die Vögel zwitschern. Und Jule holt dich nachher zum Kindergarten ab.“

„Regen mag ich viel lieber. Und die doofe Jule mag ich auch nicht mehr. Kerstin ist viel netter.“

Mama seufzt. Zum Glück. So weiß Pia wenigstens, dass Mama Mitleid hat.

Zum Frühstück gibt es natürlich wieder die rote Marmelade!
„Aber ich mag doch keine rote Marmelade“, beschwert Pia sich.
„Dann nimm die gelbe.“
Antje, Pias große Schwester, schiebt ihr die Aprikosenmarmelade über den Tisch. „Ich mag keine gelbe Marmelade. Ich mag Nusscreme.“
„Die ist aus“, sagt Mama.
Pia stampft mit dem Fuß auf. „Dann mag ich gar nichts!“, ruft sie.
„Aber Kind“, sagt Omi, die gerade zu Besuch ist, „irgendetwas musst du doch essen.“
„Nein, das muss ich nicht!“

Pia ist richtig böse.
Das merkt auch Jule, als sie Pia zum Kindergarten abholt.
Jule ist ein Jahr älter als Pia und wohnt im Haus nebenan.
Auf dem Weg zum Kindergarten sagt Pia: „Ich mag dich nicht mehr.“
„Dann hole ich dich auch nie mehr ab.“ Jule ist sauer.
„Und spielen mag ich dann auch nicht mehr mit dir.“
„Das macht mir gar nichts aus!“, erklärt Pia.
„Heute ist meine Omi da, und morgen
gehe ich mit meiner Mama in den Zoo.
Und in den Kindergarten fährt mich mein Papa.“

Am nächsten Morgen weckt Mama Pia wie immer mit einem:
„Guten Morgen, mein Schatz, Zeit zum Aufstehen."
Und Pia antwortet: „Ich mag aber lieber im Bett bleiben",
während sie sich die Decke so fest über den Kopf zieht,
dass nicht einmal mehr die Nasenspitze rausschaut.
„Na gut, dann bleibst du liegen", hört Pia da Mama sagen,
und als sie die Decke zurückgeschlagen hat,
ist Mama schon verschwunden.
Pia ist sprachlos. Nicht einmal geseufzt hat Mama!
Im Schlafanzug saust Pia die Treppe hinunter.

Keine Mama ist da. Nur Antje sitzt mit einem Buch am Frühstückstisch.
„Wo sind Mama, Papa und Omi?", fragt Pia.
„Mama hat sich wieder hingelegt. Sie ist krank. Und Papa hat Omi zum Bahnhof gefahren. Von da aus geht er gleich ins Büro."
Antje blättert in ihrem Buch.
„Und wer macht mir Frühstück?", will Pia wissen.
„Iss ein Brot", antwortet Antje. „Kakao steht auf dem Tisch."

„Aber ich mag kein Brot und keinen Kakao“, beschwert sich Pia.
„Heute mag ich Müsli.“
„Gibt es nicht“, sagt Antje. „Hol dir einen Joghurt.“
„Nein, das mag ich nicht“, heult Pia los. „Lieber verhungere ich.“
„Tu das!“ Antje klemmt sich ihre Schultasche unter den Arm.
„Und wer bringt mich jetzt in den Kindergarten?“, schnieft Pia.
„Ich nicht“, sagt Antje. „Jule holt dich doch sonst immer ab.“
Und schon ist Antje weg.

Wütend stapft Pia hinauf in Mamas Zimmer.
Die liegt mit einem roten Kopf im Bett und hustet.
„Steh auf“, sagt Pia. „Du musst mich in den Kindergarten bringen.“
„Heute kann ich dich unmöglich hinbringen“, sagt Mama. „Geh mit Jule.“
„Ich mag Jule nicht“, ruft Pia. „Und – sie mag mich auch nicht mehr.“
„Aha“, sagt Mama. „Dann musst du heute daheimbleiben.“
Aber Pia mag nicht daheim bleiben. Sie mag nur daheimbleiben,
wenn sie in den Kindergarten gehen MUSS.

Trübselig sitzt Pia in ihrem Zimmer und langweilt sich.
Auch Kater Grau ist langweilig. Er will nicht spielen.
„Nein, ich mag dich nicht mehr, du dicker, fetter, fauler Kater!“, schimpft Pia.
„Ich mag so ein Katze wie Jule eine hat. Die ist klein und lieb und spielt
von früh bis abends.“
Pia zieht Kater Grau am Schwanz. Der faucht und kratzt sie an der Hand,
dass das Blut heraustropft. Heulend rennt Pia zu Mama.

„Pflaster ist im Bad." Mama sieht nicht einmal auf. „Bring es her, zusammen mit einer Schere."

Als der Finger verbunden ist, sagt Pia: „Ich mag bei dir bleiben, und du sollst mir vorlesen."

„Das geht nicht." Mama schüttelt den Kopf. „Du steckst dich nur an."

Es hilft alles nichts. Nicht einmal, dass Pia mit dem Fuß aufstampft und noch ein paar Tränen über ihr Gesicht kullern.

Heute hat Kerstin Geburtstag, fällt Pia ein, als sie die Treppe hinuntergeht. Bestimmt sitzen sie im Kindergarten alle um den Tisch und essen Kuchen. Die Uhrzeiger schleichen und kommen nicht vom Fleck. Und mit Mama kann man gar nichts anfangen. Sie liegt nur im Bett und hustet. Was Pia auch sagt, Mama hört nicht einmal richtig zu. Endlich ist es Mittag. Und endlich sieht Pia Jule am Haus vorbeigehen. Sie ruft aus dem Fenster: „Spielst du heute mit mir?“ „Nein!“ Jule schüttelt den Kopf. „Ich gehe zu Kerstin.“ Und schon ist sie im Haus verschwunden.

Da fängt Pia zu weinen an.
Sie legt sich auf den Teppich im Wohnzimmer
und weint und weint. Kater Grau kommt angeschlichen
und springt auf ihren Bauch. Er schnurrt.
Zum Glück ist er kein bisschen mehr beleidigt.
Als Papa heimkommt, schlafen Pia und Kater Grau
auf dem Teppich.

Am nächsten Morgen wird Pia von Papa geweckt,
weil Mama immer noch im Bett liegt und hustet.
„Beeil dich mit dem Anziehen, wenn ich dich
im Kindergarten absetzen soll.
Ich bin spät dran“, murmelt Papa und ist schon auf dem Weg
in die Küche.
Pia rollt sich aus dem Bett und beeilt sich.
Sogar die eklige rote Marmelade isst sie heute tapfer auf.

Als Papa mit Pia aus dem Haus geht, kommt Jule aus der Tür nebenan.
„Guten Morgen, Jule!“, sagt Papa.
Pia sagt nichts, sondern sieht Jule nur an.
„Guten Morgen“, sagt Jule.
„Ich habe noch einen Kaugummi.“ Pia fasst in ihre Hosentasche.
„Einen ganz neuen. Den hab ich für dich aufgehoben.“
„Danke.“ Jule freut sich. „Gehen wir?“
„Dann braucht ihr mich ja nicht mehr“, sagt Papa
und schwingt sich auf sein Fahrrad.
Jule erzählt Pia, dass es bei Kerstin ein bisschen langweilig war.
Und dass sie nachmittags lieber wieder mit ihrem Kätzchen
spielen will.
„Magst du auch kommen?“, fragt Jule.
„Ich mag gern“, sagt Pia. „Sogar ganz furchtbar gern.“

Nie wieder Stunk im Kinderzimmer

Erzählt von Carola Wimmer
Mit Illustrationen von Betina Gotzen-Beek

„Gib den Teddy her!“, schreit Charlotte.
„Ich hab ihn aber zuerst gehabt!“, brüllt Pawel.
Charlotte stampft vor Wut mit dem Fuß auf.
„Kinder, müsst ihr denn immerzu streiten!“,
seufzt Mama, die plötzlich im Türrahmen steht.
„Kein Tag ohne Zoff!“

„Lotte hat angefangen!“, klagt Pawel.
„Gar nicht wahr!“, keift Charlotte und versucht energisch, ihrem Bruder den Teddy aus der Hand zu reißen.
Aber Pawel lässt nicht los. Er denkt gar nicht daran, loszulassen.
„Mama! Sag Pawel, er soll mir den Bären geben!“, jammert Charlotte.
„Ihr seid alt genug“, antwortet ihre Mama.
„Macht das unter euch aus. – Aber leise.“
Drei kleine Sorgenfalten stehen auf ihrer Stirn, als sie die Tür schließt.

Kaum ist die Tür zu, geht das Streiten weiter.
Charlotte brüllt mit frischer Kraft: „Gib her!“,
und zerrt mit aller Gewalt an Teddys Beinen.
Pawels Augen blitzen. „Nein! Ich hab ihn zuerst gehabt!“
Charlotte zerrt, Pawel klammert. Charlotte reißt,
Pawel zieht. Und ratsch!

„Nu is er kaputt“, stellt Charlotte fest.
Heulend rennt Pawel aus dem Zimmer.
Charlotte lässt sich aufs Bett plumpsen.
Traurig starrt sie auf die Teddybeine
in ihren Händen.

Da klopft es an der Fensterscheibe.
„Tock – Tock" macht es. Ganz deutlich.
Aber das kann doch gar nicht sein, denkt Charlotte.
Sie wohnen nämlich im vierten Stock. Doch schon
ist das Klopfen wieder zu hören. Nur diesmal energischer:
„Tock – Tock – Tock!"
Charlotte geht zum Fenster und öffnet es einen Spalt.
Da draußen steht ein Ding, nicht größer als eine Kaffeekanne,
nur doppelt so dick. Wieselflink schlüpft es ins Zimmer,
watschelt zum Bett und kriecht darunter.

„He! Was willst du unter meinem Bett?“,
ruft Charlotte verdutzt. „Wer bist du? Komm da raus!“
„Nö!“ Das seltsame Etwas kriecht ein Stückchen
unter dem Bett hervor. „Ich bin der Stunk
und wohne jetzt hier“, erklärt es.
„Es hat dich aber niemand eingeladen“,
erwidert Charlotte streng.
„Das braucht's auch nicht“, entgegnet das Etwas.
„Ich bin überall dort zu Hause, wo ständig gestritten wird.“
„Das wollen wir ja mal sehen!“, ruft Charlotte und packt
das Wesen am Ärmchen.
„Du kannst mich nicht fortschicken“, lacht der Stunk.
„Und wie es aussieht“, fügt er hinzu,
„bleibe ich wohl für immer hier.“
„Das denkst auch nur du!“, droht Charlotte
und schreit: „Mama! Mama!
Komm her! Schnell!“

„Was brüllst du denn so herum, Schalottchen?“,
fragt ihre Mama ein bisschen ärgerlich.
„Der Stunk ist hier!“, ruft Charlotte und zeigt mit dem Finger auf das Etwas. Doch statt des Stunks ist dort nichts, bloß ein leerer Fleck. Aber nur Charlotte sieht den leeren Fleck, denn sie weiß ja, dass dort mal der Stunk stand.
„Dass hier Stunk ist, Charlotte“, sagt ihre Mama,
„das brauchst du mir nicht zu sagen.“
„Nein, ich meine ein Ding, ein Viech,
ein richtiger Stunk ist hier.“
„Vertrag dich lieber wieder mit deinem Bruder.
Dann verschwindet der Stunk von ganz allein“,
rät Charlottes Mama
und geht wieder in die Küche.

„Nur, wenn Pawel sich entschuldigt!“, erklärt Charlotte bockig und dreht sich um. Zu ihrem Erstaunen sitzen inzwischen Pawel und der Stunk einträchtig auf ihrem Bett. Immer will Pawel alles für sich haben! Sogar, wenn es nur so ein oller Stunk ist. Als die beiden Charlottes Blick bemerken, hören sie auf zu tuscheln und zu flüstern.
„Hast du kein eigenes Zimmer?“, faucht Charlotte.
„Ich gehe ja schon“, blafft Pawel zurück.
„Komm, Stunk, wir gehen!“
„Nein! Der Stunk bleibt hier! Das ist MEIN Stunk. Ich hab ihn zuerst gehabt.“
„Aber Kinder, ich bin doch für euch beide da!“, mischt sich der Stunk feixend ein, doch da hat Charlotte Pawel schon zur Tür hinausgedrängt.

„Komm, wir spielen was!", schlägt Charlotte vor.
„Spielen?", fragt der Stunk angewidert.
„Ich bin ein Stunk, ich spiele nie!"
„Und was ist mit Musikmachen? Ich mag so gerne Flöte.
Manchmal spielt Pawel mir etwas darauf vor",
fügt Charlotte leiser hinzu und geht die Flöte holen.
Der Stunk greift nach der Flöte und entlockt ihr
ein hässliches, quiekendes Fiepen.
Charlotte hält sich die Ohren zu und sagt schnell:
„Wollen wir vielleicht doch lieber zusammen was malen?"
„Nein, am liebsten lieg ich hier nur ein bisschen rum",
erklärt der Stunk und gähnt.

„Ist ganz schön langweilig mit dir, du Stunk“, stellt Charlotte fest und fügt hinzu: „Vielleicht sollte ich mich doch lieber mit Pawel vertragen und ihn fragen, ob er mit mir malt.“
Da wird der Stunk mit einem Mal munter und brummt abfällig: „Malen ist doch doof!“
„Malen ist überhaupt nicht doof! Und ich kann sogar richtig gut malen. Alle sagen das“, erklärt Charlotte und holt ein paar Bilder herbei, um sie stolz dem Stunk zu zeigen.
„Alle sagen das?“ Der Stunk schaut Charlotte böse an. „Und warum hat Pawel mir dann eben erst erzählt, dass du überhaupt nicht malen kannst? Hm?“

Charlotte hat auf einmal einen kalten Stein im Magen.
Zum Glück ruft gerade Mama, dass sie den Tisch decken soll.
Mit zittrigen Beinen rennt Charlotte in die Küche.
Ihre Bilder sollen schlecht gemalt sein?
Meint Pawel damit etwa auch das Bild mit der lachenden
Sonne, das im Wohnzimmer über dem Esstisch hängt?
Das Bild, auf das sie so stolz ist?
Beim Abendessen sehen sich die Geschwister
kein einziges Mal an.
Später sitzt jeder für sich im Kinderzimmer.

Pawel spielt auf der Flöte eine dunkle Melodie.
Charlotte malt ein Bild mit schwarzen Wolken, die tief
über einem vom Wind zerzausten Garten hängen.
Und der Stunk weicht ihr keinen Schritt von der Seite.
Er scheint noch größer geworden zu sein,
und sein Bauch bläht sich wie ein feister Ballon.
Ohne sich Gute Nacht zu sagen, gehen Charlotte
und Pawel ins Bett.

Charlotte kann nicht einschlafen.
Denn unterm Bett schläft der Stunk und schnarcht wie ein Walross. Und in ihrem Kopf tanzen tausend Gedanken einen wilden Tanz.
Sie wälzt sich von einer Seite auf die andere.
Von der anderen Seite auf die eine. Und wieder zurück.
Du dummer Pawel, denkt sie wütend.
Meine Bilder findest du also blöde? Na, warte!
Ich gehe jetzt ins Wohnzimmer und versteck deine Flöte.
Das hast du nun davon, beschließt Charlotte und krabbelt aus dem Bett.

Entschlossen stapft Charlotte ins Wohnzimmer. Das Licht lässt sie aus, damit sie nicht entdeckt wird. Mit ausgestreckten Armen tastet sie sich durch die Dunkelheit. Vorsichtig schleicht sie um den Tisch herum. Da ist schon das Regal.

Im dritten Fach oben liegt die Flöte.
Sie muss nur noch danach greifen.
Doch plötzlich berührt sie etwas Weiches.
Entsetzt weicht Charlotte zurück.
Sie stolpert über den Sessel und taumelt.
Irgendetwas kommt ihr nach und reißt sie nieder.
„Geh weg! Weg!“, ruft Charlotte voller Angst.
Sie schlägt wild um sich.

„Aua", sagt Pawel. „Mein Kopf."
„Pawel!", ruft Charlotte erleichtert. „Gut, dass du da bist."
Sie klammert sich ängstlich an ihren Bruder. „Dahinten am Regal ist irgendwas. Ich hab in was Weiches gefasst."
„Ach, du warst das?" Auch Pawels Stimme klingt erleichtert. „Das war mein Gesicht."
„Ach so", seufzt Charlotte beruhigt. „Aber was machst du denn eigentlich hier mitten in der Nacht?"
Pawel schaut auf seine Fußspitzen. Dann antwortet er zögernd: „Ich wollte dein Bild zerreißen", und fügt traurig hinzu: „Weil du meine Musik nicht magst."
„Das stimmt doch gar nicht. Ich mag deine Musik! Furchtbar gern sogar!", antwortet Charlotte entrüstet.
„Aber der Stunk hat es mir erzählt!"
„Und mir hat er gesagt, dass du meine Bilder nicht leiden kannst!", antwortet Charlotte.
„Das ist eine Lüge", schimpft Pawel.
„Er hat uns beide angelogen!", sagt Charlotte wütend.
„So was Gemeines."

„Ich sehe, man spricht wieder miteinander“, bemerkt der Stunk ärgerlich, als er von den Geschwistern unsanft geweckt wird, und schrumpft mit einem leisen „Pffft“ auf die Größe einer winzigen Zuckerdose. „Für dich ist hier kein Platz mehr!“, erklären Pawel und Charlotte. „Pah! Dann lass ich es mir eben bei Familie Zimmermann schräg gegenüber gut gehen. Bei der kleinen Elvira und ihrer Schwester Amanda“, faucht der Stunk, und schwups! ist er mit hochmütigem Gesichtsausdruck aus dem Fenster gesprungen.

Gemeinsam kriechen die Geschwister in Charlottes Bett. „Weißt du", erklärt Charlotte, „Streit muss manchmal sein." „Ja, manchmal schon", erwidert Pawel und schmiegt sich an Charlotte. „Aber so ein Stunk kommt uns in Zukunft nicht mehr ins Haus. Der ist viel zu eklig." „Genau, nie wieder Stunk im Kinderzimmer."

Anna spielt Mama

Erzählt von Friederun Reichenstetter
Mit Illustrationen von Iris Hardt

Schon am frühen Morgen weiß Anna, dass Mama schlecht gelaunt ist.
Sie ruft nämlich überhaupt nicht fröhlich „Guten Morgen, Anna!“
ins Kinderzimmer, sondern nuschelt nur „Morgen“
und schlurft weiter Richtung Badezimmer.
Anna saust auf den Gang.
„Mama!“, ruft sie ihr hinterher, „heute ist Sonntag!
Da wollen wir es uns doch zusammen gemütlich machen!“
„Später!“ Bleich und verschlafen erscheint Mama
in der Badezimmertür. „Ich hab die halbe Nacht gearbeitet, Anna.
Jetzt bin ich fix und fertig. Ich glaub, ich geh noch mal ins Bett.“
„Manno!“, ruft Anna. „Versprochen ist versprochen!“

Mama seufzt, als sie in Annas ärgerliches Gesicht sieht.
„Ach, Anna, ich muss einfach für uns beide das Geld verdienen. Da hilft alles nichts! Du hast es gut, du weißt noch gar nicht, was das heißt.“

„Manchmal habe ich es überhaupt nicht gut!“, widerspricht Anna. „Aber du“, Annas Zeigefinger zielt genau auf Mamas Bauch, „du kannst immer machen, was du willst. Du kannst ins Bett gehen, wann du willst, anziehen, was du willst, versprechen, was du willst. Und dann musst du es nicht mal halten. So wie jetzt.“

Nun wird Mama aber wütend. „Es reicht!“, ruft sie. „Kümmere DU dich doch mal um alles! Dann kannst du mitreden!“

„Na, dann kümmere ich mich halt heute mal!“, zischt Anna böse.

Wütend starrt Mama Anna an, und die starrt ebenso wütend zurück.
Doch dann sagt Mama auf einmal: „Abgemacht! Wir tauschen heute.
Du bist die Mama, und ich bin das Kind.
Dann habe ich es auch mal richtig gut."

„So gut auch nicht“, meint Anna. „Als Kind muss man immer machen, was die Großen wollen.“ Sie überlegt einen Moment.
„Also im Schlafanzug kannst du am Sonntag nicht herumgammeln. Zieh dich bitte an. Und dann gibt's Frühstück.“
Aber als Anna sieht, wie müde Mama ausschaut, erklärt sie großzügig:
„Von mir aus kannst du dich noch mal hinlegen.
Ich gehe inzwischen in die Küche und decke den Tisch.“
„Danke.“ Mama verzieht sich schnell in ihr Zimmer, bevor Anna es sich anders überlegen kann.

„So.“ Anna sieht ihren Kater Felix an, der gerade angeschlichen kommt. „Jetzt kann ich natürlich auch nicht im Schlafanzug frühstücken. Schade. Aber als Mama darf ich wenigstens anziehen, was ich WILL, und nicht, was ich MUSS!“

Anna schaut in ihren Schrank. Dort hängt das Kleid mit den vielen Blumen. Ihr allerliebstes Lieblingskleid! Mama behauptet zwar, dass man es nur im Sommer anziehen kann, weil es so dünn ist. Aber es gibt ja Strickjacken und Strumpfhosen. Mama findet Strumpfhosen zu Sommerkleidern scheußlich, aber heute bestimmt Anna selbst, was schön ist.

„Was meinst du, Felix“, fragt Anna, als sie die Treppen hinuntergehen, „sollen wir zuerst ein bisschen Staub saugen?“ Felix findet Staubsaugen prima. Er jagt immerfort der Schnur hinterher oder versteckt sich in allen möglichen Ecken und wartet auf Anna mit dem Saugerohr.

Als Anna endlich in der Küche ankommt, ist sie ziemlich erledigt. Aber wie sieht es denn hier aus?

Sonst ist am Sonntag immer schon der Frühstückstisch gedeckt. Dann schnurrt der Wasserkocher lauter als Felix, leise Musik kommt aus dem Radio, und manchmal tanzen auch noch vorwitzige Sonnenstrahlen zwischen Marmelade, Honig und Butter umher.

Die Sonnenstrahlen tanzen zwar jetzt auch, aber nur auf schmutzigem Geschirr. Nichts ist aufgeräumt. Mama hat es am Abend vorher wohl nicht mehr geschafft. Jetzt seufzt Anna. So macht Mama-Spielen keinen besonderen Spaß. Küche aufräumen ist mühsam und auch ein bisschen ekelhaft. Vor allem als sie in die kalte Soße langt und dann auch noch ein Löffel voller Nudeln auf dem Boden landet und sie alles wieder aufklauben muss. Aber dann sind endlich die schmutzigen Teller und Gläser in der Spülmaschine verstaut. Anna schüttelt noch das Tischtuch aus und deckt den Tisch. Als sie mit allem fertig ist, weckt sie Mama.

„Das Ausruhen hat richtig gut getan!“ Vergnügt hüpft Mama aus dem Bett. Doch als sie Anna im Sommerkleid sieht, runzelt sie die Stirn. „Zieh bitte was Wärmeres an“, sagt sie.
„Heute hab ich an, was ich will“, erklärt Anna.
„Eine Mama darf das. Ein Kind nicht. Deshalb möchte ich nicht, dass du wieder in die alte graue Trainingshose schlüpfst.“
„Aber die Hose ist doch so gemütlich“, entgegnet Mama.
Anna schüttelt streng den Kopf. „Später, wenn du dein Zimmer aufräumst, kannst du sie wieder anziehen. Jetzt nicht.“
„Zimmer aufräumen? Aber das lohnt sich doch gar nicht“, widerspricht Mama. „Ich muss doch morgen schon wieder weiterarbeiten.“
„Trotzdem. Aufräumen muss sein“, entgegnet Anna.
„Das sagst du auch immer.“

„Na, meinetwegen. Heute bestimmst du“, gibt Mama nach.
Nur als sie dann beim Frühstück keinen Kaffee trinken darf,
weil der nicht gesund ist, fängt sie an, mit Anna zu streiten.
„Gut, dann mach dir halt einen“, lenkt Anna ein. „Weil Sonntag ist.“
Leise maunzend schleicht Felix um den Tisch und schielt
vorwurfsvoll auf seinen leeren, schmutzigen Napf.
„Bekommt Felix heute nichts zu fressen?“, fragt Mama.
„Und vergiss nicht, seinen Napf auszuwaschen.
Wasser braucht er auch noch.“
„Nur Arbeit!“, meutert Anna und steht auf.
„Nicht einmal frühstücken kann man in Ruhe!
Sogar Katzen haben es besser als Mamas!“
Aber als dann jeder vor seinem Teller sitzt,
wird das Frühstück doch noch richtig gemütlich.

„Sollen wir jetzt einen Plan für heute machen?“, schlägt Anna vor und leckt die letzten Krümel vom Teller. „Was meinst du?“
Mama nickt. „Zuerst rennen wir durch den Stadtpark –“
„Nicht rennen“, entgegnet Anna. „Ich zeige dir einen richtigen Dschungel-Schleichweg. Der ist lustiger als dein langweiliger gerader.“
Mama murmelt irgendetwas von nicht richtig laufen können, aber dann zieht sie doch ohne Murren ihre Turnschuhe an.
„Und wie soll es dann mit dem Tag weitergehen?“, fragt sie.
„Später bestellen wir uns eine Pizza,“, antwortet Anna.
„Oh nein, ich habe doch eingekauft“, widerspricht ihr Mama. „Beate kommt zum Abendessen.“
„Ich will nicht, dass Beate heute kommt.“ Anna schüttelt den Kopf. „Ihr redet dann die ganze Zeit nur über die Arbeit.“
Mama runzelt die Stirn, aber dann geht sie doch zum Telefon und sagt Beate ab.

Parkstraße

Der Dschungelweg, den Anna Mama dann zeigt,
gefällt der zuerst gar nicht.
„Hätte ich nur meine alte Hose an“, meutert sie.
„Das hier ist ja ein richtiges stacheliges Dickicht. Scheußlich!“
Aber so nach und nach macht ihr das Abenteuer doch Spaß.

Gemeinsam entdecken sie eine Kröte unter einem Blatt am Bach und zwei grüne Frösche mit goldenen Augen.

„Schau!“ Anna deutet auf einen Stein im Bach, dort lässt sich gerade ein kleiner Vogel mit zierlichen Beinchen nieder.

„Eine Bachstelze!“, flüstert Mama erfreut. „Ich wusste gar nicht, dass es die hier gibt.“

Später bauen sie aus ein paar Ästen, die herumliegen, eine Brücke. Über die balancieren sie. Zuerst ganz vorsichtig, dann immer mutiger. Schließlich werden sie aber zu mutig. Zuerst tappt Anna ins Wasser, dann Mama, als sie Anna helfen will.
Trotz der nassen Füße ist Mama gar nicht sauer.
Im Gegenteil. Sie lacht, bis ihr die Tränen kommen.
„Nun aber schnell nach Hause", ruft sie immer noch kichernd, „damit wir die kalten Socken und Schuhe von den Füßen bekommen."

Daheim friert Anna dann doch ziemlich.
„Weißt du“, sagt sie zu Mama, „jetzt möchte ich eigentlich lieber keine Mama mehr sein. Es ist so gemütlich, wenn du mir Kakao kochst.“
Das macht Mama und füllt auch gleich zwei Wärmflaschen. Dann kriechen sie zusammen ins Bett, trinken Kakao, wärmen sich die Füße und essen Pizza, die der Pizzamann gebracht hat.
Nach einer Weile sagt Anna: „Manchmal ist Mamasein schön. Aber manchmal ist Annasein schöner. So wie jetzt.“
Dann kuschelt sie sich an Mama.
„Und Mamasein ist auch wunderschön. So wie jetzt“, hört sie ihre Mama gerade noch flüstern, dann ist Anna auch schon eingeschlafen.

Ich will aber Spaghetti!

Erzählt von Susa Apenrade
Mit Illustrationen von Iris Hardt

„Was macht ihr da?“, fragt Jessica. „Baut ihr eine Burg?“
Sie setzt sich zu Moritz und Basti in den Sandkasten. Weil Ferien sind, ist der Kindergarten zu, und Moritz und Basti sind mit Mama auf dem Spielplatz, Jessica mit ihrem Vater.

„Nö“, sagt Basti, „wir sind Köche. Wir machen grade eine Pizza.“
„Oh, da bekomm ich wieder die Kruste, die magst du ja nie“, lacht Jessica.
Basti streut ein paar Blätter auf die Sandpizza.
„Jetzt ess ich aber die Pizza nicht mit“, schimpft Moritz.
„Ich weiß, im Kindergarten isst du ja auch nie Gemüse“, sagt Jessica.
„Zu Hause auch nicht, leider“, seufzt die Mama von Basti und Moritz, die grade dazukommt: „Kinder, wir müssen gehen!“
„Kommst du heute Nachmittag, Jessica?“, fragt Moritz.
Jessica nickt.
Moritz und Basti mögen Jessica sehr.
Eigentlich schwärmen sie für Jessica.
Ja, beide könnten Jessica sofort heiraten, wenn das ginge.
Am besten zu zweit.

„Was gibt's heut zu essen, Mama?", fragt Basti auf dem Nachhauseweg. „Kartoffelbrei?"
„Heute gibt's mal was ganz Neues", sagt Mama.
„Ess ich nicht", sagt Basti sofort.
„Ich auch nicht", ruft Moritz.
„Ich kann euch nicht immer Kartoffelbrei mit Würstchen, Reis mit Fischstäbchen oder Spaghetti machen – besonders, wo Basti noch nicht mal die Spaghettisoße isst."
„Was Fremdes essen wir aber nicht", mault Moritz.
„So. Und was esst ihr im Kindergarten?", fragt Mama.

Metzger
PIZZA

„Reis mit Mais und Erbsen, aber die Erbsen tue ich immer gleich weg, weil die grün sind“, überlegt Moritz.
„Gibt’s auch ein Essen, bei dem ihr beide mal nichts wegtut?“, seufzt Mama.
„Müsli!“, sagen beide.
„Ich meine ein Mittagessen!“, ruft Mama.
„Rührei mit Schinken“, überlegt Basti.
„Stimmt gar nicht, das isst du nur, wenn das Rührei nicht so glitschig ist“, behauptet Moritz, „aber Klöße mit Soße … Ach, nee, da isst Basti ja die Soße nicht mit.“
Mama seufzt schon wieder.
„Ich esse nur alles, was grün ist, nicht“, tröstet Moritz.
„Das wissen wir“, sagt Mama. „Leider.“
„Soße ist bäh“, mault Basti. „Butter auch.“
„Es wird euch doch noch ein Essen im Kindergarten einfallen, das ihr beide vollständig esst!“, ruft Mama laut.
„Apfelpfannkuchen!“, schwärmt Moritz.
„Nichts Süßes“, bestimmt Mama.
„Hähnchen mit Kartoffelsalat“, sagt Basti, „aber den Kartoffelsalat ohne diese Schmiere …“
„Mayonnaise“, erklärt Mama.
„Und ohne diese Dingsda – diese Gurken“, murmelt Moritz.
Mama seufzt wieder.
Sie sind zu Hause angekommen.

Mama geht in die Küche und kommt wenig später mit einem Topf wieder.
„Das ist mal was Anderes“, schwärmt sie, „das ist eine herrliche Kartoffelsuppe mit Möhrchen.“
„So was esse ich nicht“, sagt Basti mürrisch.
„Ich auch nicht“, meint Moritz.
„Aber ihr habt doch noch nicht mal probiert!“, ruft Mama.
Basti schielt in den Topf. „Soßen esse ich doch nicht!“, ruft er.
„Das ist Suppe!“, ruft Mama.
„Womöglich ist da was Grünes drin“, schimpft Moritz.
„Aber irgendwann muss man ja mit Probieren anfangen!“, schreit Mama.
Sie schöpft sich Suppe auf einen Teller und fängt an zu essen.
„Herrlich!“, sagt sie.
„Und wir?“, fragt Basti. „Wir verhungern grade.“
„Dann verhungert!“, sagt Mama und isst weiter.
Moritz und Basti rasen in die Küche.
Jetzt essen sie Käse und Wurst aus dem Kühlschrank, denkt Mama. Bitte!

Später klingelt es.
Es ist Jessica.
„Hast du Hunger, Jessica?“, fragt Mama. „Vielleicht ein kleines Süppchen?“
„Oh ja, darf ich sie aus einer Puppentasse essen?“, fragt Jessica.
Irgendein Verrückter hat den Jungs mal ein Puppengeschirr geschenkt.
„Aah, ist diese Suppe gut!“ Jessica leckt sich die Lippen.
„Noch mehr?“, fragt Mama mit sehr, sehr lieber Stimme.
Als Jessica schon acht Puppentassen ausgelöffelt hat, will sie immer noch mehr ins Kinderzimmer gebracht kriegen.
Die Kinder spielen Büchervorlesen mit selbst erfundenen Geschichten.

Als Mama später ins Kinderzimmer kommt, steht die Puppentasse sehr nah bei Basti.

Basti gibt Jessica einen Stups.
„Ach ja, bitte noch mehr von dieser herrlichen Suppe“, bittet Jessica.
Mama serviert die Suppe gleich in mehreren Puppentassen ins Kinderzimmer.
Als Mama später noch mal kommt, steht eine kleine Tasse diesmal auch bei Moritz.
Abends ist immer noch Suppe da.
Am nächsten Morgen ist gar keine Suppe mehr im Topf.
Mama sagt kein Wort.

Jetzt in der Ferienzeit gibt's für Moritz und Basti oft
Kartoffelbrei mit Würstchen,
Reis mit Fischstäbchen und Spaghetti –
für Basti ohne Tomatensoße.
Das Übliche halt.

Aber Mama isst verschiedene Suppen.
Die kocht sie gleich für Jessica mit.
Denn Jessica kommt sehr, sehr oft zum Spielen.
Und will sehr, sehr oft Suppe in Puppentassen ins
Kinderzimmer serviert haben.
Angeblich werden auch die zwei Teddys,
das dicke Nilpferd und der Plüschhund
Schnüff-Schnüff mit Suppe versorgt. Wer weiß schon,
was in so einem Kinderzimmer alles passiert!

„Das ist komisch“, sagt Mama eines Morgens, „wenn ich abends von meiner Suppe noch was übrig habe, ist morgens gar nichts mehr im Topf! Was ist denn da in der Nacht passiert?“
Moritz überlegt: „Das kann ein Gespenst sein.“
„Möglich“, meint Mama, „aber dann isst das Gespenst die Suppe ja kalt!“
Basti sagt schnell: „Gespenster essen immer alles kalt, das weiß ich!“
„Ach so“, meint Mama. „Kommt Jessica heute?“, fragt sie.
„Klar“, sagt Moritz.
„Ich habe nämlich viel zu viel Rosenkohlauflauf mit Käse überbacken für mich gekocht“, meint Mama. „Ich bring’s ihr dann ins Kinderzimmer.“

Jessica isst sehr, sehr viele Puppenteller mit Rosenkohlauflauf. Angeblich essen die zwei Teddys, das dicke Nilpferd, der Plüschhund Schnüff-Schnüff und diesmal auch der Affe Nepomuk wieder kräftig mit. Von dem Nachtgespenst gar nicht zu reden.

„Mama, falls Jessica anruft, was sagen wir, was du heute kochst?“, fragt Basti am nächsten Tag.
„Ihr bekommt Fischstäbchen, und ich und Jessica essen Schnitzel mit Pilzsahnesoße“, sagt Mama.
Basti verzieht keine Miene.
Wieder essen Jessica und die Stofftiere unsäglich viele Puppenteller Schnitzel mit Pilzsahnesoße, und das Gespenst müsste eigentlich auch einen ganz dicken Bauch vom Naschen haben.

„Mama, kannst du heute noch mal die Blumenkohlsuppe für dich kochen?“, fragt Moritz am Morgen.
„Warum?“, fragt Mama.
„Weil … weil … Das isst Jessica so gerne“, sagt Moritz.
Aber heute hat Mama ein neues Essen für sich gekocht: Eier mit Senfsoße.
Und sie bringt das Tablett mit vielen Puppentellern voll in den Garten.
Aber es wird diesmal nicht alles aufgegessen.
„Hat es dir nicht geschmeckt, Jessica?“, fragt Mama.
„Mir schon“, sagt Jessica verlegen. „Aber den Stofftieren nicht.“
„Ach, so“, sagt Mama ernst und sammelt die Teller wieder ein.
Hört sie es da etwa kichern?

Dem Gespenst schmeckt das Essen
komischerweise auch nicht.
Der Topf bleibt voll.

Abends fragt Moritz:
„Mama, kannst du morgen mal wieder diese
Kohl..., Kohl..."
„Kohlrouladen", hilft Mama.
„... Kohlrouladen machen?"
„Aber Jessica kommt doch gar nicht, die ist
doch bei ihrer Oma zu Besuch", sagt Mama.
„Nur für das Gespenst, das hat mal wieder
Hunger drauf", meint Basti.
Mama kocht Kohlrouladen.

Abends nach dem Zubettgehen hört Mama es draußen herumhuschen. Sie geht auf den Flur, dann in die Küche. „Huch!“, sagt sie. Vor ihr im Halbdunkeln steht ein richtiges Gespenst. Nein, es sind sogar zwei! Eins davon kichert.
„Was macht ihr Gespenster denn hier bei uns?“, fragt Mama.
„Wir haben Hunger“, sagt das Gespenst mit tiefer Stimme.
„Hunger auf Koooooohlrouladen.“
Es wendet sich zu dem zweiten Gespenst: „Nicht wahr, Kunibert?“
Das zweite Gespenst wackelt vor Kichern.
Mama prustet laut heraus, und auch das erste Gespenst kichert immer lauter. Die Bettlaken verrutschen,
zum Vorschein kommen Basti und Moritz, die sich vor Lachen den Bauch halten.

„Meine Gespenster!“, ruft Mama. „Meine beiden Feinschmecker! Gebt’s zu, dass ihr schon die ganze Zeit mein Essen mit Jessica mitesst! In dem Puppengeschirr!“
Basti und Moritz nicken und kichern.
Gemeinsam setzen sie sich hin und futtern die Kohlrouladen. Nachts!
Frau Wagner, die Nachbarin, sieht das durchs Fenster und staunt.
„Wie praktisch!“, lacht Mama. „Jetzt könnt ihr mir selber sagen, was euch schmeckt und was wir essen wollen.“
„Bald bitte wieder Schnitzel mit Pilzsahnesoße“, bestellt Basti.
„Aber du isst doch keine Soßen!“, sagt Mama.
„Jetzt schon“, lacht Basti.
„Und kochen lernen wollen wir auch!“, ruft Moritz.

Sibylle Rieckhoff / Sophie Schmid

Probier's mal mit Entschuldigung!

Ein schlechtes Gewissen tut gar nicht gut: Eichhörnchen Luki fühlt sich nicht mehr wohl in seinem Pelz, seit seine Nuss vom Baum gefallen ist – und dann auch noch direkt auf die Nase vom großen Wildschwein Romeo! Ob Romeo wütend ist und sich rächen wird? Oder ist er am Ende gar verletzt? Doch da hat der schlaue Hase einen guten Rat für Luki: „Probier's doch mal mit dem Zauberwort Entschuldigung!"

32 Seiten. Gebunden.
Durchgehend farbig illustriert.
ISBN 978-3-401-09102-0

Christian Seltmann / Iris Hardt

Auch Drachen können höflich sein

Ein Benimmbuch für kleine Drachen und Prinzessinnen

Gutes Benehmen ist wichtig – egal, ob man ein wilder Drache oder eine hübsche Prinzessin ist. Wenn man nett, aufmerksam und höflich zu anderen ist, findet man leichter Freunde, und auch ein schlimmer Streit – so wie zwischen dem kleinen, dicken Drachen und der ganz blonden Prinzessin – findet gar nicht erst statt. Aber das Beste ist: Mit dem lustigen Benimm-Quartett macht das Üben von wichtigen Benimmregeln richtig Spaß!

32 Seiten. Gebunden.
Durchgehend farbig illustriert.
ISBN 978-3-401-09272-0

Susa Apenrade / Miriam Cordes

Ich bin stark, ich sag laut Nein!

So werden Kinder stark: Susa Apenrade erzählt von Situationen, in denen Lea sich nicht gut fühlt: wenn Jan sie ärgert, wenn die Nachbarin sie wieder mal kurz drücken oder Onkel Meier sie einfach so auf den Schoß nehmen will. Was soll Lea da nur tun? Lea stellt sich mit beiden Beinen fest auf den Boden und sagt laut und selbstbewusst „Nein!". Und das ist auch die richtige Antwort, wenn ein Fremder kommt und versucht, Lea wegzulocken. Lea ruft laut: „Nein, ich geh nicht mit!"

32 Seiten. Gebunden.
Durchgehend farbig illustriert.
ISBN 978-3-401-09165-5

Susa Apenrade / Jutta Knipping

Ich kenn dich nicht, ich geh nicht mit!

Hannah und Charlotte spielen im Garten. Als ein netter Mann stehen bleibt. Er erzählt von seinen neu geborenen Welpen, die Hannah ja zu gern mal sehen würde. Natürlich weiß sie, dass sie nicht weggehen darf, aber es ist ja nur auf einen Sprung … Doch schon nach ein paar Schritten merkt sie, dass da etwas nicht stimmt. Als sie ein paar Sekunden später wieder in Sicherheit ist, hat Hannah etwas fürs ganze Leben gelernt: Mit Fremden geht man nicht mit!

32 Seiten. Gebunden.
Durchgehend farbig illustriert.
ISBN 978-3-401-08230-1

Arena

Jutta Langreuter / Stefanie Dahle

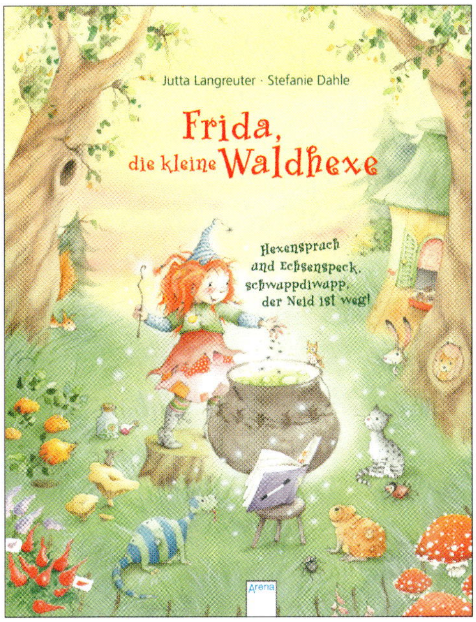

Frida, die kleine Waldhexe

Hexenspruch und Echsenspeck, schwuppdiwupp, der Neid ist weg!

Die kleine Waldhexe Frida übt für den Hexenwettbewerb, und jeder Spruch geht schief! Daran ist bestimmt ihr Schnupfen schuld, da sind sich Fridas Tiere einig, obwohl sich die Echsen und Spinnen sonst streiten wie Hund und Katze! Ganz egal also, wie der Hexenwettbewerb vor dem berühmten Zauberer Barrak ausgeht – eines gelingt Frida sicher: dass sich alle Tiere und alle Hexen besser verstehen und dass keiner auf den anderen eifersüchtig ist. Und das ist doch wirklich Hexerei!

32 Seiten. Gebunden.
Durchgehend farbig illustriert.
Mit Folienprägung auf dem Cover und allen Innenseiten.
ISBN 978-3-401-09103-7

Jana Frey / Stefanie Dahle

Die kleine Meerjungfrau und das Seepferdchen-Abenteuer

Matilda, die kleine Meerjungfrau, weiß, was sie will: nämlich Haifisch-Bändigerin werden. Oder doch lieber Akrobatin? Auf jeden Fall aber weltberühmt! So wie ihre Eltern, König und Königin des Unterwasserreiches. Alle bewundern Matildas tolle Ideen und aufregende Abenteuer – wie die große Seepferdchen-Rettungsaktion. Nur ihre Eltern haben dafür keine Zeit. Immer müssen die beiden regieren! Doch da hat die kleine Meerjungfrau einen haifischstarken Plan: Jetzt zeigt sie Mama und Papa, was sie kann!

32 Seiten. Gebunden.
Durchgehend farbig illustriert.
Mit Folienprägung auf dem Cover und allen Innenseiten.
ISBN 978-3-401-09171-6

Achim Bröger

Gefühle machen stark

Ein Vorlesebuch voller Geschichten aus dem Kinderalltag! Die wütende Sina versöhnt sich mit ihrem Bruder, Nick verliert die Angst vor dem geheimnisvollen Klopfen, und Lena setzt sich gegen den Störenfried Timo durch. Hier finden die kleinen Zuhörer sich selbst wieder, und sie lernen, wie Gefühle stark und selbstbewusst machen.

96 Seiten. Gebunden.
Durchgehend farbig illustriert.
ISBN 978-3-401-09266-9

Achim Bröger / Betina Gotzen-Beek

Danke, Paulina!

Paulina hilft immer! Und auch ihr Bruder David versteht es, andere zu trösten. Achim Bröger stellt in seinen Kindergartengeschichten verschiedene Situationen aus dem Kinderalltag vor und zeigt, wie es geht: einen verlorenen Geldschein zurückgeben, dem Opa von nebenan die Tasche tragen, den Neuen freundlich in die Gruppe aufnehmen. Hier werden Kinder mit Verhaltensweisen vertraut, die ihre soziale Kompetenz fördern: Offenheit, Mitgefühl und Zivilcourage.

32 Seiten. Gebunden.
Durchgehend farbig illustriert.
ISBN 978-3-401-09552-3